HARTFORD PUBLIC LIBRARY
3 2520 10682 2702
Y0-BDI-782
HARTFORD PUBLIC LIBRARY
500 MAIN STREET
HARTFORD, CT 06103-3075

LA PRINCESA DE HIELO

Gracias a Vero y a Clotilde por sus maravillosas relecturas.

O.

Gracias a mis padres por enseñarme el placer por la lectura.
Gracias a Olivier.

Léonie

Título original: *La princesse des glaces*

Basado en la novela *La princesa de hielo*, Maeva 2007

Publicado con el acuerdo de Nordin Agency AB, Suecia

Adaptación de cubierta: Gráficas 4

Benito Castro, 6
28028 MADRID
www.maeva.es

ISBN: 978-84-15893-86-8
Depósito legal: M-27.333-2014

SOY ERICA FALCK.
ESCRIBO BIOGRAFÍAS.
PASÉ LA INFANCIA EN FJÄLLBACKA Y LUEGO ME FUI A VIVIR A ESTOCOLMO.
PERO VOLVÍ POCAS SEMANAS DESPUÉS DE LA MUERTE DE MIS PADRES.

SOY EL COMISARIO PATRIK HEDSTRÖM.
AMIGO DE LA INFANCIA DE ERICA.
MI VIDA ESTÁ A PUNTO DE CAMBIAR.

SOY ALEXANDRA WIJKNER.
DE SOLTERA, CARLGREN.
ACABO DE MORIR EN CIRCUNSTANCIAS EXTRAÑAS.

SOMOS BIRGIT Y KARL-ERIK CARLGREN.
ACABAMOS DE PERDER A NUESTRA HIJA.
QUIZÁ NOS LO MERECIÉRAMOS.

SOY JULIA, LA OTRA HIJA DE LOS CARLGREN.
LA OTRA HIJA... CON ESO ESTÁ TODO DICHO.
PERO PUEDE QUE ESO CAMBIE PRONTO.

SOY HENRIK WIJKNER, EL MARIDO DE ALEX.
CREO QUE NUNCA CONOCÍ REALMENTE A MI MUJER.

SOY FABIAN LORENTZ.
FUNDADOR DE CONSERVAS LORENTZ, QUE DA TRABAJO A MEDIO PUEBLO.
CASI ME MUERO DE PENA DESPUÉS DE LA DESAPARICIÓN DE MI HIJO.

SOY NELLY LORENTZ.
UNO DE CADA DOS HABITANTES DE FJÄLLBACKA DEPENDE DE LO QUE YO LES PAGUE.
NO PASA UN DÍA EN EL QUE NO PIENSE EN MI HIJO DESAPARECIDO.

SOY NILS LORENTZ, EL HIJO DESAPARECIDO.
DESDE HACE VEINTICINCO AÑOS NADIE SABE NADA DE MÍ.

SOY JAN LORENTZ.
LOS LORENTZ ME ADOPTARON CUANDO TENÍA DIEZ AÑOS.
PERO NELLY NUNCA ME HA CONSIDERADO SU HIJO.

SOY ANDERS NILSSON. QUERÍA SER UN GRAN ARTISTA.
HE FRACASADO.
NADIE SOSPECHA LO QUE SÉ.

SOY VERA, LA MADRE DE ANDERS.
LO HE DADO TODO POR MI HIJO.
HE RECIBIDO POCO A CAMBIO.

Esta historia tiene lugar en febrero de 2001
en Fjällbacka, un pequeño pueblo
de pescadores de Suecia.

Pero, en realidad, empezó mucho antes...

LÉONIE BISCHOFF

OLIVIER BOCQUET

LA PRINCESA DE HIELO

Basado en la novela de CAMILLA LÄCKBERG

Rotulación: GUY BUHRY

Color: AURÉLIE LECLOUX, ANNELISE SAUVÊTRE y SOPHIE DUMAS

MAEVA

SÄLV

CUANDO SEA MAYOR DARÉ LA VUELTA AL MUNDO.

CUANDO SEA MAYOR DARÉ LA VUELTA AL MUNDO.

¿ANNA?
SOY YO...
AMBLANS
AMBULANS
POLIS

¡AH, ERICA! ¿CÓMO ESTÁS?
NO MUY BIEN, HE...
SÍ, SÉ LO QUE ME VAS A DECIR, Y DE VERDAD QUE LO SIENTO, LO SIENTO MUCHO. DESPUÉS DEL ENTIERRO, IBA A LLAMARTE...

...PERO EL NIÑO LLEVA TRES DÍAS VOMITANDO SIN PARAR, Y YO TRES NOCHES SIN DORMIR MÁS DE DOS HORAS SEGUIDAS... ¡EMMA! ¡DEJA LAS TIJERAS!
DIME, TE ESCUCHO... ¿CÓMO VAS?

TIRANDO. HAY MUCHAS FORMALIDADES, PAPELEO, PONER ORDEN...
Y LA CASA ESTÁ MUY VACÍA. ¿CUÁNDO VIENES?

MIRA... NO CREO QUE VAYA A PODER IR. ADRIAN DUERME MUY MAL... Y NO PUEDO DEJAR A EMMA CON LUCAS. ESTÁ HASTA ARRIBA DE TRABAJO.
¿SABES QUE LE CONFIRMARON LO DE LONDRES? ¡NOS MUDAMOS EN UNOS MESES!

TIENES QUE FIRMAR UNAS COSAS DE LA HERENCIA.

¡CLARO, ES VERDAD! ¿ME LO MANDAS POR CORREO?

POR CIERTO, LUCAS Y YO ESTUVIMOS PENSANDO: CREEMOS QUE ES MEJOR VENDER LA CASA.
¿QUÉ VAMOS A HACER CON ELLA? ESTÁ TAN LEJOS... ADEMÁS, NOS DARÁ UN DINERITO. ES LO QUE PAPÁ Y MAMÁ HUBIERAN QUERIDO.
¿QUIERES VENDERLA? PERO... ¡ES NUESTRA INFANCIA!

¡OH, VAMOS! AHORA NO TE PONGAS SENTIMENTAL. SABES QUE...

POLIS

ES MI INFANCIA...

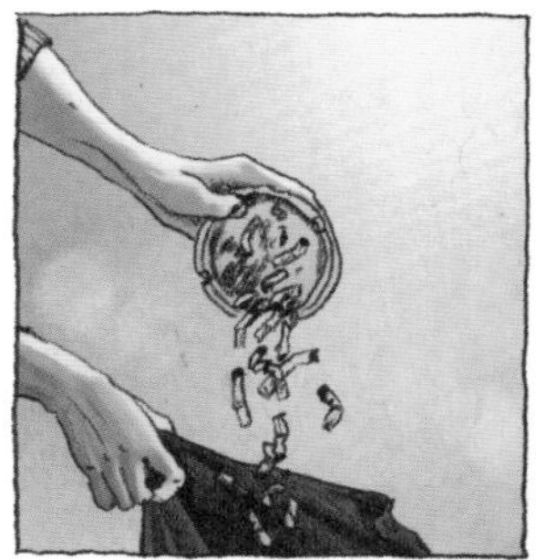

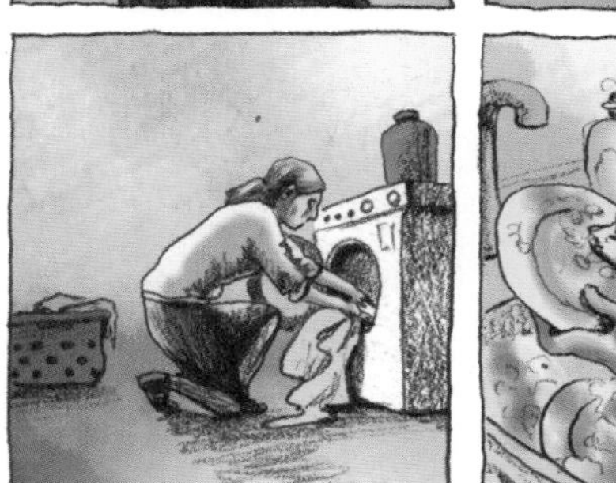

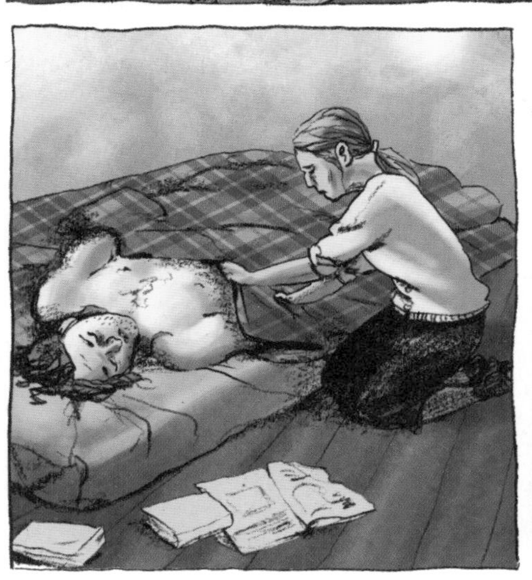
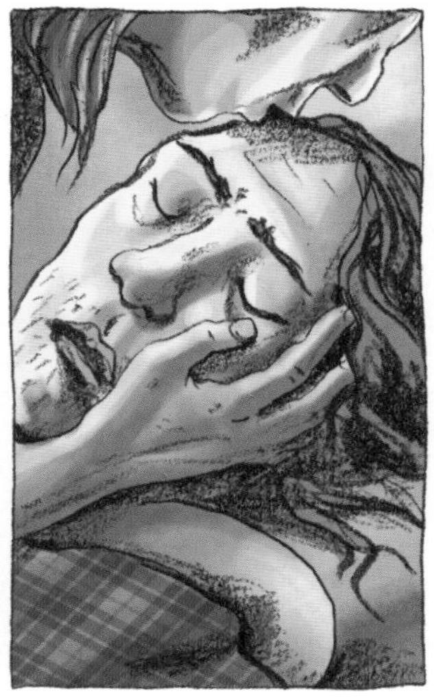

HOLA... NO SÉ SI TE ACORDARÁS
DE NOSOTROS. BIRGIT Y KARL-ERIK.
SOMOS LOS PADRES DE...

LOS PADRES DE ALEX.
CLARO QUE ME ACUERDO...

ERICA... HEMOS VISTO QUE ESCRIBES BIOGRAFÍAS.

SÍ, ESTOY TERMINANDO LA QUINTA... Y LA VERDAD ES QUE ME ESTOY EMPEZANDO A CANSAR DE ESCRITORAS SUECAS.

¿TE GUSTARÍA ESCRIBIR ALGO SOBRE ALEX?

¿SOBRE ALEX?

UN TEXTO SOBRE SU VIDA, SUS SUEÑOS, LA GENTE QUE LA CONOCIÓ... PARA PUBLICARLO EN EL BOHUSLÄNINGEN.

¿Y NO PREFERIRÍAIS EL GÖTEBORGS-POSTEN? SI VIVÍAIS EN GOTEMBURGO...

FJÄLLBACKA ES NUESTRA CIUDAD, Y LA DE ALEX.
PODRÍAS ENTREVISTAR A LOS QUE LA CONOCIERON.
TOMA, LA DIRECCIÓN DE HENRIK, SU MARIDO. SE LO HEMOS CONTADO Y ESTÁ DE ACUERDO.
BU... BUENO, GRACIAS.

FUISTE TÚ QUIEN LA ENCONTRÓ...
¿CÓMO ESTABA?

SOLA.

OH...

LO SIENTO MUCHO. NO QUERÍA...

NO SE SUICIDÓ.

¡YO LA CONOCÍA MEJOR QUE NADIE! ¡ALEX NUNCA HUBIERA HECHO ALGO ASÍ! ¡NO SE HUBIERA ATREVIDO!
¡LE HORRORIZABA LA SANGRE! SI HUBIERA TENIDO VALOR, LO HABRÍA HECHO CON SOMNÍFEROS, O...

VÁMONOS, BIRGIT.

¡DÍSELO! ¡DÍSELO! SI VA A ESCRIBIR SOBRE ALEX TIENE QUE SABERLO.

BIRGIT TIENE RAZÓN.
ALEX JAMÁS SE HUBIERA SUICIDADO. TÚ QUE LA CONOCÍAS BIEN NO CREERÁS...

OH, YO...
NO LO SÉ. LLEVÁBAMOS AÑOS SIN VERNOS.
ADEMÁS, NUNCA SE LLEGA A CONOCER A NADIE DEL TODO.

ESCRIBE LO QUE TÚ CONSIDERES. ESTARÁ MUY BIEN, SIN DUDA.

TENDRÁS HAMBRE DESPUÉS DEL VIAJE EN TREN. ¿QUIERES UN TROZO DE TARTA?
HUY, NO, NO, NI HABLAR. TENGO QUE CUIDAR LA...
¿DE QUÉ ES?

BUENO, VENGA, UN TROCITO.
PARA NO HACERTE UN FEO.

NO SÉ CÓMO QUERRÁS HACERLO. HE RECOPILADO ALGUNAS FOTOS...

BUENA IDEA. SERÁ UN BUEN PUNTO DE PARTIDA...

¡QUÉ GUAPOS ESTÁIS! ¿ESTO CUÁNDO FUE?
HACE QUINCE AÑOS. PARA MÍ ES COMO SI FUERA AYER.

¿VINISTEIS A VIVIR AQUÍ DESDE EL PRINCIPIO? ¡LA CASA ES ESPECTACULAR!
YO SIEMPRE HE VIVIDO AQUÍ. SOY LA CUARTA GENERACIÓN DE LOS WIJKNER QUE VIVE EN ESTA CASA.
ALEX ADORABA ESTE LUGAR. SE ENCARGÓ DE REDECORARLO TODO. SE PASÓ AÑOS RASTREANDO ANTICUARIOS PARA RECUPERAR EL MOBILIARIO ORIGINAL.

TOMA. TAMBIÉN ENCONTRÉ ESTO. LA ÚNICA FOTO QUE GUARDABA DE SU INFANCIA. SUPONGO QUE SALES TÚ...

NO, NO ÍBAMOS AL MISMO CURSO. ELLA ERA UN AÑO MAYOR.

¿PUEDO LLEVÁRMELA PARA SACAR UNA COPIA?

Riiiing
CLARO, YO...

WIJKNER...

SÍ...

SÍ.

DE ACUERDO.
ESTOY EN GOTEMBURGO.
LO QUE TARDE EN LLEGAR.
PONGAMOS DOS HORAS.

ERA DE LA COMISARÍA
DE TANUMSHEDE.
QUIEREN HABLAR CON
TODA LA FAMILIA.

NO CREO QUE SEAN
BUENAS NOTICIAS.
BUENO... TE LLEVO
A FJÄLLBACKA.

VALE...

¿NOS LLEVAMOS LA TARTA
PARA EL CAMINO?

DAREMOS UN PEQUEÑO RODEO... QUIERO QUE VEAS SU GALERÍA.

AQUÍ ESTÁ... UNA GALERÍA QUE VA MUY BIEN.

Y QUE LA SOBREVIVIRÁ.

galeri
ABSTRAKT
CERTAINTY
SE SENTÍA MUY ORGULLOSA DE ELLA.

SUS PADRES DEBÍAN DE ESTAR TAMBIÉN MUY ORGULLOSOS DE SU ÉXITO.

¿ORGULLOSOS? YO NO DIRÍA TANTO. ALIVIADOS, TAL VEZ.
¿POR QUÉ? ¿ESTABAN PREOCUPADOS POR ELLA?
LA SOBREPROTEGÍAN. COMO SI NUNCA FUERA A ESTAR A LA ALTURA. SIEMPRE PARECÍAN REPROCHARLE ALGO.
¿QUÉ QUIERES DECIR?

ES DIFÍCIL DE EXPLICAR. ES COMO SI ALEX Y SUS PADRES CAMINARAN PISANDO CRISTALES.
CUANDO DISCUTÍAN, ME DABA LA SENSACIÓN DE QUE LA VERDADERA CONVERSACIÓN IBA POR DEBAJO DE LAS PALABRAS.
SU HERMANA PEQUEÑA, JULIA, ERA LA ÚNICA QUE DECÍA LO QUE PENSABA.
AUNQUE BUENO... ES LA RARITA DE LA FAMILIA.

¿ALEX TENÍA UNA HERMANA?
¿NO LA CONOCÍAS?
NO.

CLARO, PORQUE NACIÓ DESPUÉS DE QUE SE MARCHARAN DE FJÄLLBACKA. BIRGIT PASABA DE LOS CUARENTA. NO FUE ALGO PLANEADO.
E 6 OSLO
HISINGEN
HAMNAR

JULIA NUNCA ENCONTRÓ SU LUGAR DENTRO DE LA FAMILIA. APARTE NO ERA GUAPA Y CON LA EDAD NO HA MEJORADO.
Y CON UNA HERMANA TAN GUAPA COMO ALEX...
SIN EMBARGO, SIEMPRE ADORÓ A SU HERMANA MAYOR. CUANDO ALEX IBA A CASA DE SUS PADRES, JULIA NO SE SEPARABA DE ELLA.

PERO ALEX NUNCA SE INTERESÓ DEMASIADO POR JULIA. TRECE AÑOS DE DIFERENCIA SON MUCHOS.
ADEMÁS, ALEX YA ESTABA EN UN INTERNADO CUANDO JULIA NACIÓ. NUNCA VIVIERON JUNTAS.

ALEX ME HABLÓ MUCHO DE TI.

¿DE MÍ?

SIEMPRE DECÍA QUE ERAS LA ÚNICA AMIGA QUE LE QUEDABA.

PERO... ¡SI APENAS NOS VIMOS EN LOS ÚLTIMOS DOCE AÑOS!
«LA ÚNICA AMIGA DE VERDAD QUE TENGO», ESO DECÍA.

YA HEMOS LLEGADO. ME ESTARÁN ESPERANDO.

LA QUERÍA TANTO...

CREO QUE ELLA NUNCA COMPRENDIÓ CUÁNTO LA QUERÍA.
ERA TAN RESERVADA... AUNQUE HUBIERA PODIDO CONFIAR EN MÍ.

¿QUÉ ES LO QUE QUERRÁN CONTARNOS?

TE AGRADECERÍA MUCHO QUE ENTRARAS CONMIGO.
POLIS
UN TESTIGO OBJETIVO, DE FUERA DE LA FAMILIA.

YA SABEN POR QUÉ LES HEMOS HECHO VENIR. IREMOS AL GRANO...
LA MUERTE DE ALEXANDRA WIJKNER NO FUE UN SUICIDIO.
LLEVABA UNA SEMANA MUERTA, AUNQUE SU CADÁVER ESTABA BIEN CONSERVADO...
COMO UN ASADO EN EL CONGELADOR.
EL FORENSE LO VIO MUY CLARO...
NO FUE ELLA QUIEN SE CORTÓ LAS MUÑECAS.
LAS HERIDAS SON DEMASIADO REGULARES.
NO TIENE CORTES DE CUCHILLA DE AFEITAR EN LOS DEDOS.
Y, SOBRE TODO, ENCONTRAMOS GRANDES DOSIS DE SOMNÍFEROS EN LA SANGRE.
DORMÍA PROFUNDAMENTE CUANDO LE ABRIERON LAS VENAS.

BUENAS NOTICIAS: NO SUFRIÓ.

Mooooc

Snif

LO MÁS TRÁGICO, CLARO, ES LO DEL NIÑO.
NO TENÍA NINGÚN NIÑO.

HABLO DEL QUE ESPERABA. ESTABA EMBARAZADA DE TRES MESES.

OH, PERDÓN... ¿NO LO SABÍAN?

¡CUÁNTO SECRETO!

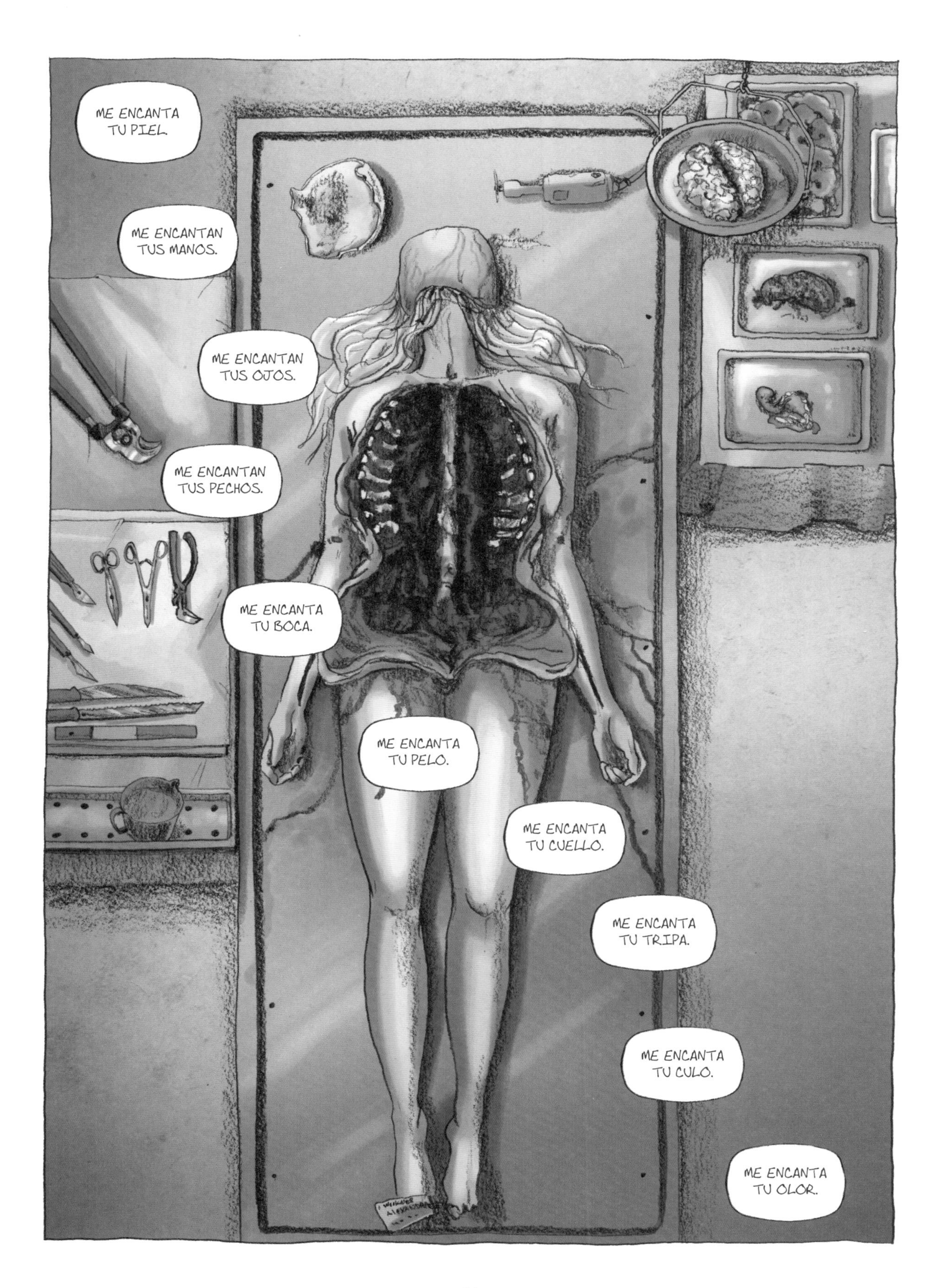
ME ENCANTA TU PIEL.
ME ENCANTAN TUS MANOS.
ME ENCANTAN TUS OJOS.
ME ENCANTAN TUS PECHOS.
ME ENCANTA TU BOCA.
ME ENCANTA TU PELO.
ME ENCANTA TU CUELLO.
ME ENCANTA TU TRIPA.
ME ENCANTA TU CULO.
ME ENCANTA TU OLOR.

BIEN.

EN LO QUE RESPECTA A LA INVESTIGACIÓN...
ESTO...

¿QUIÉN HARÍA ESO, COMISARIO?

LO MÁS HABITUAL ES ALGUIEN CERCANO. PUEDE QUE INCLUSO UNO DE USTEDES.

¿SOMOS SOSPECHOSOS?

DIGAMOS QUE TENDRÉ QUE COMPROBAR SUS COARTADAS.
LA ENCANTADORA ANNIKA LES DARÁ CITA PARA PRESTAR DECLARACIÓN.
NO ES QUE QUIERA ECHARLOS, PERO TENGO MUCHO TRABAJO.
ASÍ QUE VOY A ECHARLOS. ¡JA, JA!

GRACIAS,
PERDÓN...

¿ERICA? ¿QUÉ HACES AQUÍ?
YO ENCONTRÉ EL CUERPO DE ALEX.
¡QUÉ BIEN!

QUIERO DECIR...
QUE ESTÉS AQUÍ...
EN EL PUEBLO...
NO LO DE...
ESTO.

¿VIENES A CENAR A MI CASA EL SÁBADO?
¡JA, JA! ¡ME ENCANTARÍA!

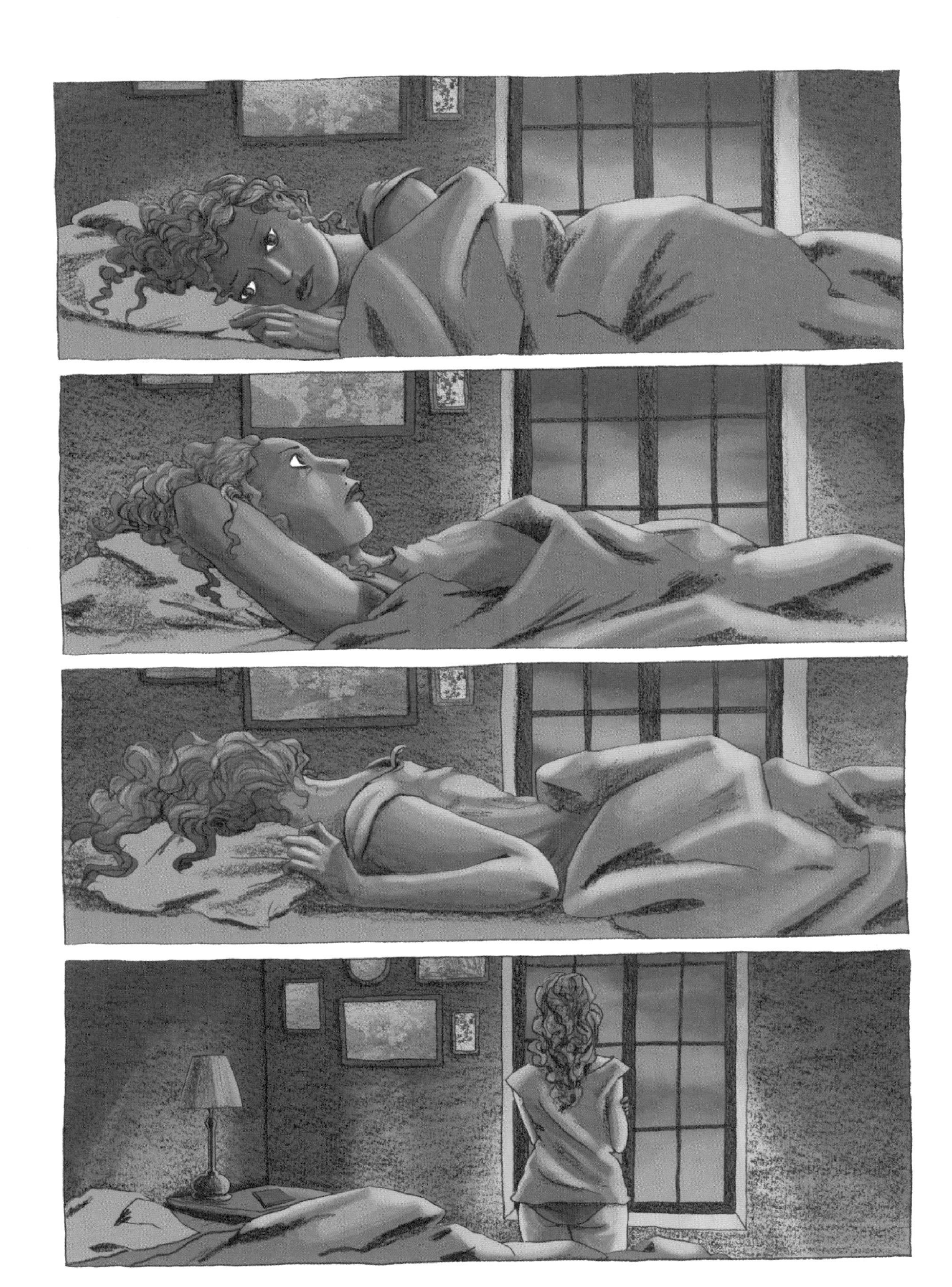

Ñeeeec

Ñeeeec

Riiiing

¿DIGA?
Riiing

¿DIGA?
ANDERS, SOY MAMÁ

HOLA.
ME ENTERADO DE UNA COSA EN EL SUPERMERCADO. TIENES QUE SABERLO.

HAN DESCUBIERTO QUE ALEX NO SE SUICIDÓ.

FUE UN ASESINATO.

¿HOLA? ¿ANDERS? ¿HOLA...?
Tuut
Tuut
Tuut

SOY ANDERS.
TENEMOS QUE HABLAR.
ME DA IGUAL. TENEMOS QUE HABLAR.
NO, POR TELÉFONO NO.

JOHANSSONS

¿NO VIENES CON NOSOTROS?

¿ADÓNDE? ¿A LA FIESTA?
NO SOPORTO VER A TODA ESA GENTE ZAMPANDO.
SÉ LO QUE QUIERES DECIR... ERES JULIA, ¿VERDAD?

ME LLAMO ERICA. SOY...
LA MEJOR AMIGA DE ALEX. YA LO SÉ. HABLABA DE TI A MENUDO.

SÍ..., ESO PARECE...

TE ACOMPAÑO EN EL SENTIMIENTO. NO PUEDO IMAGINAR LO QUE ES PERDER A UNA...
TUS PADRES MURIERON HACE POCO, ¿NO ES ASÍ?
ESTO..., SÍ.
HACE ALGUNAS SEMANAS. UN ACCIDENTE DE COCHE.

PUES YA SABES CÓMO ES. ME SIENTO IGUAL QUE TÚ EL DÍA DE SU ENTIERRO.

AH.
DE ACUERDO.

Toc
Toc

CONOZCO EL DOLOR DE PERDER A UN HIJO. OS ACOMPAÑO EN EL SENTIMIENTO.

GR..., GRACIAS...
GRACIAS, NELLY.

ES USTED ERICA FALCK, ¿VERDAD? LA CELEBRIDAD LOCAL...
¡OH, MENUDA EXAGERACIÓN!
NO SEA MODESTA. HE LEÍDO SUS LIBROS. ME GUSTAN MUCHO.

VENGA A VERME MAÑANA POR LA TARDE.
QUISIERA HABLAR CON USTED.

...
¡AQUÍ ESTÁ LA MÁS BONITA!

¡Dooong!

HA LLEGADO SU VISITA, SEÑORA.
¡AH, ERICA! GRACIAS POR VENIR.
SIÉNTESE.

EH...

ESTO...
NO SABÍA QUE FUESE USTED AMIGA DE LOS CARLGREN.

KARL-ERIC TRABAJÓ MUCHOS AÑOS EN LA FÁBRICA. YO VEÍA A MENUDO A SU FAMILIA. SE CREÓ UNA AMISTAD...
SÍ, PARECE QUE JULIA Y USTED SON MUY AMIGAS.
AUNQUE ELLA NACIÓ DESPUÉS DE QUE LA FAMILIA SE FUERA DE FJÄLLBACKA, ¿NO?

JULIA TRABAJÓ EN LA FÁBRICA EL PASADO VERANO. ENSEGUIDA NOS ENTENDIMOS DE MARAVILLA.
ESA CHICA ES MUCHO MÁS INTERESANTE Y VALIENTE QUE LA PÁNFILA DE SU HERMANA.

QUE EN PAZ DESCANSE...

AH...
ES QUE ME SORPRENDIÓ. ESO ES TODO.

¿LE SORPRENDIÓ? ¿QUÉ ES LO QUE SABE USTED DE MÍ EXACTAMENTE, ERICA?
PUES... LO QUE SABE TODO EL MUNDO...
QUE SE PUSO AL MANDO DE LA FÁBRICA DE CONSERVAS AL MORIR SU MARIDO.
AUNQUE ES SU HIJO QUIEN LA DIRIGE HOY EN DÍA.
MI HIJO ADOPTIVO.
SU HIJO ADOPTIVO, DISCULPE.
Y LUEGO... ESTÁN LOS RUMORES.

¿LOS RUMORES?

SÍ, HAY QUIEN DICE QUE FUE USTED BAILARINA DE BALLET. OTROS, QUE ES LA HIJA DE UN CÓNSUL Y QUE SE CRIO EN ÁFRICA. O EN ASIA. MUCHAS COSAS...

POR ESO LA HE HECHO VENIR. PARA DESMENTIR LOS «RUMORES».

QUIERO QUE ESCRIBA LA HISTORIA DE LA FAMILIA LORENTZ.

¿YO?

USTED ES LA CANDIDATA IDEAL. ES UNA BIÓGRAFA DE TALENTO, VIVIÓ AQUÍ DURANTE LOS PRIMEROS VEINTE AÑOS DE SU VIDA...
ADEMÁS, ES UN TEMA BONITO: A TRAVÉS DE ESTA FAMILIA, PUEDE CONTAR LA HISTORIA DE TODO EL PUEBLO DESDE LOS AÑOS CINCUENTA.

VAYA... ME SIENTO HALAGADA...
LE PAGARÍA, EVIDENTEMENTE. Y CONOZCO A UN EDITOR INTERESADO.
ES MUY TENTADOR. TENGO QUE PENSÁRMELO.

DEBE USTED SABER QUE CUANDO ESCRIBO UN LIBRO NO ME CONFORMO CON UNA ÚNICA VERSIÓN DE LA HISTORIA.
POR SUPUESTO.

SOY MUY CURIOSA. VOY A HACER PREGUNTAS, A ENTREVISTAR A TODO SU ENTORNO.
LE HARÉ PREGUNTAS INDISCRETAS.
MIENTRAS ESTÉN DENTRO DE LOS LÍMITES DE LO RAZONABLE...

POR EJEMPLO: ¿QUÉ LE PASÓ A SU HIJO HACE VEINTICINCO AÑOS?
¿POR QUÉ DESAPARECIÓ?

Riiiing

TENGO QUE ATENDER ESTA LLAMADA.

¿DÓNDE ESTÁS, NILS LORENTZ? ¿EH?

EJEM...

OH, DISCULPE... ERICA FALCK, ¿VERDAD? ¿LA HE ASUSTADO?
ME HA SORPRENDIDO, ESO ES TODO.
JA, JA...

SOY JAN, EL HIJO DE NELLY.
HIJO ADOPTIVO.

¿POR QUÉ NO ESTÁS EN LA FÁBRICA?
HE..., HE PASADO SOLO A RECOGER...
VUELVO EN DOS MINUTOS.

ERICA, ME HA ENCANTADO HABLAR CON USTED.
PIENSE EN LO QUE LE HE DICHO Y...

¿NOS LLAMAMOS?
¡CUANDO QUIERA!

¿¡QUE HAS HECHO QUÉ!?

VOLVÍ A CASA DE ALEX POR LA NOCHE.

¡PERO ES LA ESCENA DE UN CRIMEN! ¡SOLO ESTÁ AUTORIZADA A ENTRAR LA POLICÍA!
ADEMÁS, ES ALLANAMIENTO DE MORADA.

ENTONCES NO QUERRÁS SABER LO QUE ENCONTRÉ EN UN CAJÓN DE SU HABITACIÓN.

ESTÁS COMO UNA CABRA...

¿QUÉ ES LO QUE ENCONTRASTE?

ESPERA, CREO QUE LO TENGO EN EL BOLSILLO DEL ABRIGO...

ES UN ARTÍCULO SOBRE LA DESAPARICIÓN DE NILS LORENTZ, EL HEREDERO DE LA FAMILIA.

ENERO DE 1977...
NILS LORENTZ... PROFESOR SUPLENTE... DESAPARECIDO SIN DEJAR RASTRO. SE ESPECULA... UN ACCIDENTE EN EL MAR... O QUE ROBÓ EL DINERO DE SU PADRE Y SE DIO A LA FUGA... O... NADIE LE TENÍA MUCHO AFECTO, EXCEPTO SU MADRE.

TODO EL MUNDO SABE ESO. ¿QUÉ RELACIÓN TIENE CON LA MUERTE DE ALEX? DE ESO HACE MUCHOS AÑOS...

VEINTICINCO, PATRIK. ¿POR QUÉ GUARDAR ESTE ARTÍCULO TANTO TIEMPO?

NO SÉ, ES UN PAPEL VIEJO, TODOS TENEMOS COSAS ASÍ EN EL CAJÓN. ¡NO TIENE POR QUÉ SER UNA PISTA!

SÍ, ESO MISMO PENSABA YO, HASTA QUE ENCONTRÉ OTRA COSA POR CASUALIDAD... EN CASA DE NELLY LORENTZ.
BUENÍJIMA, EJTA TARTA.

¿POR CASUALIDAD, EN CASA DE NELLY LORENTZ? DIOS MÍO...

VI SU TESTAMENTO.
¡JI, JI! ¡JA, JA, JA!

PERDÓN... SON LOS NERVIOS...
¿ENTONCES?

SE LO DEJA CASI TODO A JULIA CARLGREN. LA HERMANA DE ALEX. LA OVEJA NEGRA DE LA FAMILIA.
¿SE CONOCEN?
NO MUCHO, SEGÚN NELLY.

DE ACUERDO... TIENES RAZÓN, ES EXTRAÑO. ME PASARÉ POR CASA DE LOS LORENTZ.

A CAMBIO TIENES QUE PROMETERME QUE DEJARÁS DE METER LAS NARICES EN TODAS PARTES.

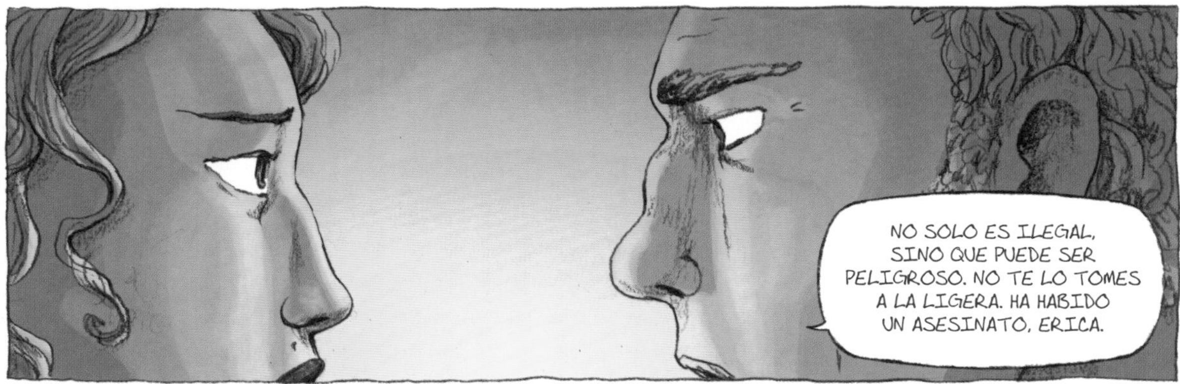
NO SOLO ES ILEGAL, SINO QUE PUEDE SER PELIGROSO. NO TE LO TOMES A LA LIGERA. HA HABIDO UN ASESINATO, ERICA.

NO ME LO TOMO A LA LIGERA. ERA MI MEJOR AMIGA.
PERO... NOS SEPARAMOS DE GOLPE. EMPEZÓ A QUEDAR A TODAS HORAS CON DOS CHICOS. SIEMPRE LOS MISMOS. COMO SI YO YA NO EXISTIERA.

Y CUANDO SE MARCHÓ... FUE BRUTAL. DE UN DÍA PARA OTRO YA NO ESTABA.

NI SIQUIERA ME AVISÓ.

CON LOS AÑOS, COINCIDÍAMOS DE VEZ EN CUANDO. PERO NO ERA LO MISMO. SIEMPRE SENTÍ QUE ME HABÍA ABANDONADO.

Y AHORA DESCUBRO QUE ME CONSIDERABA SU MEJOR AMIGA.

YA LO VES... NO ME LO TOMO A LA LIGERA. EN ABSOLUTO.
NO QUERÍA DECIR ESO.

YA LO SÉ. NO TE PREOCUPES.

SABES QUE ESTABA EMBARAZADA...
SÍ. HA SIDO UNA SORPRESA PARA TODOS. CREO QUE PARA SU MARIDO MÁS QUE PARA NADIE.

SEGÚN LOS VECINOS, VENÍA A FJÄLLBACKA CASI TODOS LOS FINES DE SEMANA.
ESO HENRIK NO ME LO HA CONTADO... ¿CREES QUE TENÍA UN AMANTE AQUÍ?

¿TÚ QUÉ PIENSAS?
COMO DICE LA CANCIÓN, «EVERYBODY NEEDS SOMEBODY TO LOVE»...

SÍ.

SÍ.

LO HE PASADO FENOMENAL.

YO TAMBIÉN.
SIN GAFAS ESTÁS MÁS GUAPO.
GRACIAS...

TE ASOMA UN SUJETADOR DEL BOLSILLO.
LO SÉ. NO ES MÍO. ES UNA LARGA HISTORIA.

¿HASTA PRONTO?
HASTA MUY PRONTO.

AQUÍ ESTÁN LOS EXPEDIENTES DE LA INVESTIGACIÓN, LOS ARCHIVOS MUNICIPALES, ARTÍCULOS DE PRENSA, INTERNET, EXTRACTOS DE PATRIMONIO... TODO LO QUE HE PODIDO SACAR SOBRE LOS LORENTZ DESDE 1970.
¡BUENA SUERTE!

GRACIAS, ANNIKA...

¿PODRÍAS INVESTIGAR UN POCO SOBRE LA FAMILIA CARLGREN? QUISIERA SABER POR QUÉ SE MUDARON DE PRONTO CUANDO ALEX TENÍA DOCE AÑOS.
DE REPENTE, ME VEO UN POCO DESBORDADO.

¡OLVÍDALO! ¡ACABO DE DESCUBRIR AL CULPABLE!

¡ERICA!

¡HOLA, PERNILLA!

¡SUBE! DAN ESTÁ REPARANDO EL BARCO.
LLEGAS EN BUEN MOMENTO: ¡ACABO DE TRAERLE CAFÉ!

ESTÁS HECHA UNA MUJER EJEMPLAR... ¿AÚN NO TE HAS LIBRADO DE ÉL?

¡SABES QUE NO PUEDO RESISTIRME AL OLOR A PESCADO!
NO SÉ SI CREÉIS QUE NO OS OIGO...

PERNILLA INTENTA CONVENCERME DE QUE LA HACES FELIZ.

ESO ES PORQUE SABE LO QUE LE CONVIENE, NO COMO TÚ.
ME ALEGRO DE VERTE.

¿CÓMO ESTÁS? NO NOS VEÍAMOS DESDE EL ENTIERRO DE TUS PADRES.
VOY TIRANDO. EMPIEZO A ACOSTUMBRARME.

FUISTE TÚ QUIEN ENCONTRÓ A ESA CHICA, ¿VERDAD?

SÍ, ESO TAMBIÉN ME HABRÍA GUSTADO AHORRÁRMELO.
AUNQUE AHORA ESTOY OBSESIONADA CON EL TEMA... YO LA ENCONTRÉ, CASI ME SIENTO RESPONSABLE. POR ESO HE EMPEZADO A INVESTIGAR POR MI CUENTA...

NO SE LO DIGÁIS A NADIE, PERO ANOCHE ME METÍ EN SU CASA EN BUSCA DE PISTAS.

¿QUÉ? PERO... ¿Y SI ALGUIEN TE HUBIERA VISTO?

¡JA, JA! LO PEOR ES QUE CASI ME VEN. ¡HABÍA OTRA PERSONA EN LA CASA!

¿QUIÉN? ¿LO VISTE?

NO. ¡ME ESCONDÍ! PASÉ UN MIEDO HORROROSO.
¡IMAGÍNATE QUE ES EL ASESINO!
¡ESO MISMO PENSABA YO!

ERES UNA INCONSCIENTE... PODRÍA HABERTE PASADO DE TODO.

MÍRALO... HACE QUINCE AÑOS QUE OS SEPARASTEIS, ¡Y SIGUE QUERIENDO PROTEGERTE!

NIIINOOONIIINOOONIIINOOONIIINOOO
¿QUÉ SERÁN ESAS SIRENAS DE POLICÍA?
CAMILLA
FJÄLLBACKA

¡VOY A VER!
¡YA SE LE HA METIDO EL GUSANILLO EN EL CUERPO!
CAMILLA
FJÄLLBACKA

MAMÁ, SOY ANDERS.
HAY POLIS POR TODAS PARTES. NO SÉ QUÉ HACER.
SEGURO QUE HAN VENIDO A POR MÍ.

¡YO NO HE HECHO NADA! Y AUNQUE HUBIERA HECHO UNA TONTERÍA, ¡HAY MUCHOS MÁS POLIS QUE OTRAS VECES!
¿QUÉ HAGO?

VALE. TE ESPERO. PERO ¡DATE PRISA!

¡DEJEN PASAR!
ENTONCES, ¿FUE ÉL?
ANDERS NILSSON. SÍ, ESO PARECE.
POLIS

ENCONTRARON SUS HUELLAS EN EL CADÁVER.
¿¿SUS HUELLAS??
EL FRÍO LAS CONSERVÓ EN PERFECTO ESTADO.

POLIS
EL ORDENADOR LAS RELACIONÓ CON SU NOMBRE EN SEGUNDOS.

HA DORMIDO TANTAS VECES LA MONA EN EL CALABOZO...

... QUE ERA EL PRIMERO DE LA LISTA.

ARTISTA MARGINAL, ALCOHÓLICO, MUY INESTABLE... EL SOSPECHOSO PERFECTO.
PERO ¿QUÉ RELACIÓN TENÍA CON ALEX? ¿POR QUÉ LO HIZO?
QUIERO DECIR, NO SOY UNA EXPERTA, PERO...
SE DIRÍA QUE UN TIPO ASÍ ES CAPAZ DE MATAR EN UN ATAQUE DE LOCURA...
A GOLPES DE BOTELLA, EN UN CALLEJÓN OSCURO...
POLIS

NO TE CONOCÍA ESE INTERÉS POR LOS DETALLES SÓRDIDOS...

PERO TIENES RAZÓN. HAY ALGO QUE NO ENCAJA.

BUENO, TÉCNICAMENTE, LAS HUELLAS NO DEMUESTRAN EL ASESINATO, SOLO PRUEBAN QUE...
¡DIOS MÍO!
ALEX... ESTABA ASÍ CUANDO LA ENCONTRÉ.

ESA ES LA IMAGEN QUE VEO CADA VEZ QUE CIERRO LOS OJOS.
ME DESPIERTA POR LAS NOCHES.
ANDERS LA CONOCÍA.
LA PINTÓ CUANDO ESTABA VIVA. VI EL CUADRO EN CASA DE ALEX. UN DESNUDO.
RECONOZCO EL ESTILO.
SUS CUADROS ESTÁN EXPUESTOS EN LA GALERÍA DE ALEX.

LO SIENTO...
¿QUIERES QUE PASE A VERTE ESTA NOCHE?
SÍ, DE ACUERDO... GRACIAS.

TENEMOS TUS HUELLAS, TENEMOS EL CUADRO DE SU CADÁVER, INCLUSO TENEMOS UN MONTÓN DE CARTAS DE AMOR LACRIMÓGENAS QUE LE ESCRIBISTE.
ESTÁS FUNDIDO, NILSSON. ACABADO. HUNDIDO. ASÍ QUE NO ME HAGAS PERDER EL TIEMPO. ¿QUIERES QUE TE DICTE LA CONFESIÓN?

NO ERES MUY LISTO, ¿VERDAD, NILSSON?
EN REALIDAD, ERES UN POCO IMBÉCIL.

¿HACÍA TIEMPO QUE DURABA ESE LÍO? ¿QUÉ PASÓ ESA NOCHE? ¿NO QUISO ACOSTARSE CONTIGO? ¿QUERÍA DEJARLO? ¿TE DIJO QUE ESTABA PREÑADA?
NO ESTABA EMBARAZADA.

TENGO UN FETO EN UN TARRO QUE DICE LO CONTRARIO.
¡NO! ¡ES IMPOSIBLE! HACÍA SEIS MESES QUE NO...

¿QUÉ TE PENSABAS, TONTORRÓN? ¿QUE SU MARIDO NUNCA LA TOCABA? ¡QUÉ DURO, REGRESAR A LA REALIDAD! ENTIENDO QUE LA MATARAS CUANDO TE LO SOLTÓ...

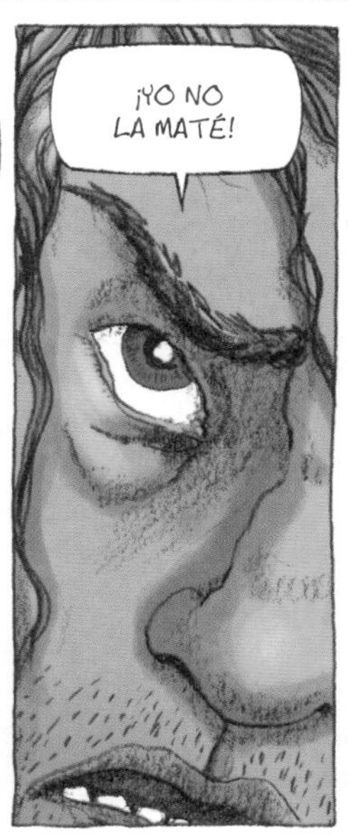
¡YO NO LA MATÉ!

ESTABA ASÍ CUANDO LA ENCONTRÉ.
Y DECIDISTE NO LLAMAR A LA POLICÍA.
NO QUERÍA QUE LE HICIERAN DAÑO.

OOOH... ¡QUÉ TIERNO! ¿POR ESO QUITASTE LA CALEFACCIÓN? ¿PARA CONSERVARLA? ¿PARA TI SOLO?

¿VES? LO HE ENTENDIDO TODO...

PERO HAY ALGO QUE SE ME ESCAPA: ¿QUÉ HACÍA UNA CHICA COMO ELLA CON UNA BASURA COMO TÚ?

CLARO QUE SE TE ESCAPA. ¿CÓMO IBAS A ENTENDERLO?

ES MÁS IMPORTANTE QUE NUNCA GUARDAR SILENCIO.
LO QUE HA OCURRIDO ES UNA TRAGEDIA, PERO NADA TIENE QUE CAMBIAR... LO ENTIENDES, ¿VERDAD?
TOMA, PARA TI. 50.000 CORONAS. SÉ QUE TE HACEN FALTA.

EN CUANTO A ANDERS... SÉ QUE ES DURO. PERO TAL VEZ SEA LO MEJOR QUE PODÍA PASARLE.
AL MENOS, EN LA CÁRCEL NO TENDRÁ ALCOHOL.
¡FUERA DE AQUÍ!
¡FUERA DE AQUÍ!

¡ANDERS NO IRÁ A LA CÁRCEL!

¡Y TÚ PUEDES IRTE AL INFIERNO, CON TU DINERO Y TODA TU FAMILIA!

¿PATRIK?
SOY ÉRICA. ESTO...
¿A QUÉ HORA VIENES?
¡NO HAY PRISA! ES SOLO PARA SABER CUÁNDO METO LA CENA EN EL HORNO...

Ding Dong
ESPERA, LLAMAN A LA PUERTA.

LLEGO DOS MINUTOS TARDE, LO SIENTO...

¡NO PASA NADA!
¡NO SÉ NI QUÉ HORA ES!

¿LA CENA PUEDE ESPERAR? PRIMERO QUIERO LLEVARTE A UN SITIO...
¡QUÉ BIEN! ME ENCANTAN LAS SORPRESAS.

MAÑANA SUELTAN A ANDERS NILSSON.

¿ES INOCENTE?
UNA DECENA DE TESTIGOS LO SITÚAN EN UN BAR LA NOCHE DEL ASESINATO. VOLVEMOS AL PUNTO DE PARTIDA.

MELLBERG ESTÁ FUERA DE SÍ.
¿EL COMISARIO JEFE?
CREÍA HABER CONSEGUIDO SU PRIMER GRAN ÉXITO...

COMO HAY QUE EMPEZAR DE CERO, QUERÍA VOLVER A CASA DE ALEX. Y COMO HABÍAMOS QUEDADO ESTA NOCHE, HE PENSADO EN JUNTAR EL DEBER CON EL PLACER.
¡UNA AUTÉNTICA INVESTIGACIÓN POLICIAL! ¡QUÉ ROMÁNTICO!

SABEMOS QUE ESA NOCHE ALEX PREPARÓ UNA CENA PARA DOS.
¿UNA CENA ROMÁNTICA?
TAL VEZ, PERO NO LLEGÓ A COCINAR. ALEX NO ENCENDIÓ EL HORNO.

LA PERSONA A LA QUE ESPERABA NO APARECIÓ.
PERO SÍ QUE RECIBIÓ UNA VISITA.

ALGUIEN QUE TOMÓ UNA COPA DE VINO. LA ENCONTRAMOS EN EL FREGADERO, LIMPIA DE HUELLAS.
SERÍA LA COPA DE ALEX, ¿NO? ES NORMAL LAVAR UNA COPA.

ALEX SABÍA QUE ESTABA EMBARAZADA: NO PODÍA BEBER ALCOHOL. LA AUTOPSIA REVELA QUE SOLO BEBIÓ SIDRA, CARGADA DE SOMNÍFEROS. ENCONTRAMOS LA COPA CON SUS HUELLAS Y RESTOS DE BARBITÚRICOS.
SI SE TOMÓ UNA COPA CON EL ASESINO, ES QUE LO CONOCÍA...
PROBABLEMENTE. ¿ME AGUANTAS LA LINTERNA?

¿PATRIK? LA OTRA NOCHE, CUANDO VINE Y ENCONTRÉ EL ARTÍCULO...
SÍ...
HAY ALGO QUE NO TE CONTÉ.

POR POCO ME PILLA OTRO INTRUSO.

POR DIOS, ERICA... ¿TE DAS CUENTA DEL RIESGO QUE CORRISTE?
LO SIENTO...
¿VISTE QUIÉN ERA?

NO, ME ESCONDÍ... REGISTRÓ LA HABITACIÓN Y SE FUE.

¿CREES QUE SE LLEVÓ ALGO?
NO LO SÉ. ME DIO LA SENSACIÓN DE QUE FALTABA ALGO, PERO... LA VERDAD, NO LO SÉ.
SINCERAMENTE NO LO SÉ.

EN CUALQUIER CASO, AQUÍ FALTA ALGO.
¿UN LIBRO?

¿QUÉ TE PARECE?
PUEDE SER. IMPOSIBLE ACORDARME.

¿Y ESTO QUÉ ES?
¿LTM 1976? NI IDEA.

BUENO. SI SE TE OCURRE ALGO, TIENES MI TARJETA...

SOLO QUIERO COMPROBAR OTRA COSA... ¿QUIERES SER MI CONEJILLO DE INDIAS?
LO QUE QUIERAS...

SEGÚN NUESTRAS CONJETURAS, ALEX SE QUEDÓ INCONSCIENTE EN EL SOFÁ, Y DESPUÉS LA ARRASTRARON A LA BAÑERA.
ME PREGUNTO CUÁNTA FUERZA ES NECESARIA PARA ARRASTRAR UN CUERPO DEL SALÓN AL BAÑO Y DESPUÉS LEVANTARLO PARA METERLO EN LA BAÑERA.

AHÍ ES DONDE ENTRAS TÚ.
¿CÓMO?

¿PUEDES TUMBARTE EN EL SOFÁ? VOY A INTENTAR ARRASTRARTE HASTA EL BAÑO.

PATRIK HEDSTRÖM, ESTE ES EL PRETEXTO MÁS LAMENTABLE QUE JAMÁS HA ENCONTRADO UN CHICO PARA METERLE MANO A UNA CHICA...
CON LO FÁCIL QUE ES...

I
YOU

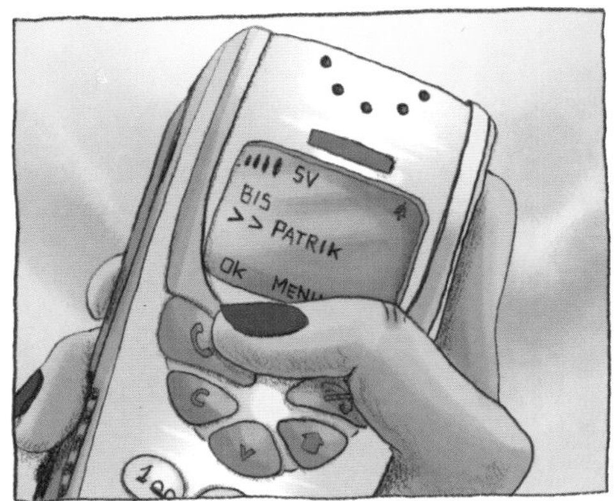
BIS
>> PATRIK
OK MENU

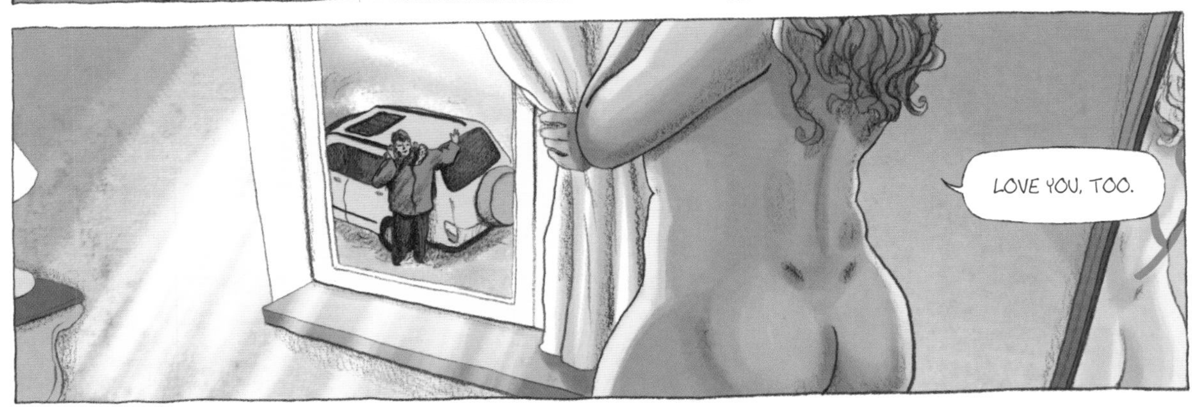
LOVE YOU, TOO.

I
YOU

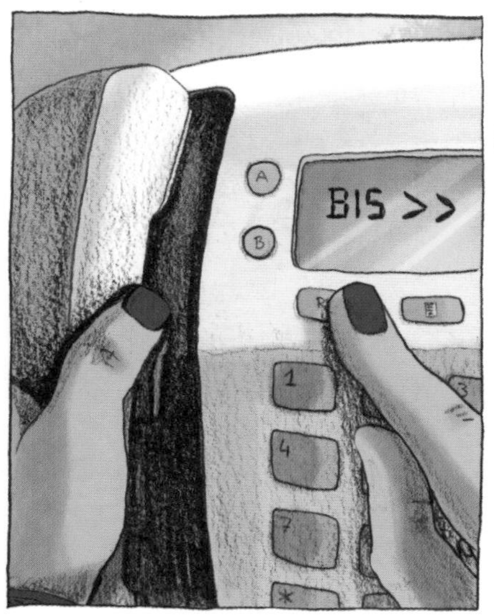
BIS >>

HOLA, HAS LLAMADO A DAN KARLSSON. EN ESTOS MOMENTOS PUEDE QUE ESTÉ EN EL BARCO, PERO DÉJAME UN MENSAJE, ¡VOLVERÉ A TIERRA!

PAGUÉ MI AMOR CONTANTE Y SONANTE. SIN DINERO, NO SE CONQUISTA A LAS DAMAS.

PERO CANTAD, TIRAD BIEN FUERTE DE LAS JARCIAS, PARA CANTAR DEL AMOR LAS ALABANZAS.
¿TODAVÍA TE ACUERDAS?

¿CÓMO OLVIDAR EL LIBRO QUE REGALABAS A TODAS TUS CONQUISTAS?
¿QUÉ QUIERES? ¡SIEMPRE FUNCIONABA!

¿CON ALEX TAMBIÉN?

¿QUÉ?

LE REGALASTE EL LIBRO, CON UNA BONITA DEDICATORIA, Y VINISTE A RECUPERARLO DESPUÉS DE SU MUERTE PORQUE RESULTABA MUY COMPROMETEDOR. ¿ME EQUIVOCO?

MALA SUERTE. YO ESTABA AHÍ ESA NOCHE.

YO NO LA MATÉ. SOLO ÉRAMOS AMANTES. TE JURO QUE YO NO LA MATÉ...

¿NO ESTABAS CON ELLA LA NOCHE DEL ASESINATO?

NO...
PERO DEBERÍA HABER ESTADO.

ELLA QUERÍA QUE PASÁRAMOS LA NOCHE JUNTOS. «UNA OCASIÓN ESPECIAL», ME DIJO. PARECÍA CONTENTA...
YO NO FUI. HABÍA DECIDIDO DEJARLA. ENTIÉNDEME, LA QUERÍA, PERO ESTABA HARTO DE TENER UNA DOBLE VIDA. QUERÍA DECÍRSELO ESA NOCHE, PERO PARECÍA TAN CONTENTA...

NO TUVE VALOR. NI SIQUIERA LA AVISÉ, SENCILLAMENTE, NO FUI. INCLUSO APAGUÉ EL MÓVIL. ME PORTÉ COMO UN CERDO. ELLA INTENTÓ LLAMARME, ¿SABES?
Y AHORA ESTÁ MUERTA.

¿ME CREES?
ME CREES, ¿VERDAD?

TE CREO, DAN.
Y CREO QUE SÉ POR QUÉ SE TRATABA DE UNA OCASIÓN ESPECIAL PARA ELLA.

QUERÍA CONTARTE QUE IBAS A SER PADRE POR CUARTA VEZ.
LO SIENTO.

DEBERÍAS CONTÁRSELO A PERNILLA.

DAN... SI YO PUDE DESCUBRIR ESTO, LA POLICÍA TAMBIÉN LO HARÁ. MÁS VALE QUE SE ENTERE POR TI ANTES QUE POR ELLOS.

NO PUEDO. NO ME LO PERDONARÍA JAMÁS.

NECESITO ESTAR SOLO..

VAYA, VAYA, MENUDA CARA TRAES... ¿SE TE HA HECHO CORTA LA NOCHE?
MUY CORTA.

Y... ¿HA SIDO UNA BUENA NOCHE?

¿NO TIENES OTRA COSA QUE HACER?

TENGO LA INFORMACIÓN QUE ME PEDISTE.
¿INFORMACIÓN?

¿EL TRASLADO? ¿ALEXANDRA WIJKNER? BUENO... CARLGREN, ENTONCES.
AH, SÍ...

BIEN... SABEMOS QUE SE MUDARON EN MARZO DE 1977. EL PADRE CONSIGUIÓ TRABAJO EN GOTEMBURGO.

DICEN QUE MANDARON A SU HIJA A UN INTERNADO SUIZO. 100.000 CORONAS POR SEMESTRE. EN 1977. ¿TE IMAGINAS?

PROBLEMA: LLAMÉ AL INTERNADO Y, SEGÚN SU EXPEDIENTE, ALEXANDRA INGRESÓ ALLÍ EN LA PRIMAVERA DE 1978.

VERIFIQUÉ TAMBIÉN LA FECHA DEL TRASLADO: ES CORRECTA.

VISTO TU ESTADO MEDIO COMATOSO, TE FACILITARÉ EL TRABAJO: EN MI OPINIÓN, DEBES HACERTE DOS PREGUNTAS...

¿QUÉ HIZO ALEX ENTRE MARZO DEL 77 Y MARZO DEL 78?
Y ¿CÓMO PUDIERON PAGAR SUS PADRES UN COLEGIO TAN CARO? GRACIAS, ANNIKA.

HA SIDO UN PLACER...
Y ESTO, ¿QUÉ ES?

EL EXTRACTO DE LA FACTURA TELEFÓNICA DE ANDERS NILSSON. TAMBIÉN ME LO PEDISTE, AUNQUE AHORA QUE ES INOCENTE...

SERVICIOS SOCIALES DE TANUMSHEDE
LORENTZ, JAN... MIRA, BUSQUÉ EL EXPEDIENTE DE SU ADOPCIÓN. ANTES DE LLAMARSE LORENTZ, SE APELLIDABA NORIN.

PERO NI SIQUIERA TENGO QUE ABRIRLO. ME ACUERDO MUY BIEN DEL CASO.

FUE EN 1976, HACE VEINTICINCO AÑOS... ¿QUÉ TIENE QUE SEA TAN MEMORABLE?
¿HAS LEÍDO A DICKENS?
AL LADO DE LA INFANCIA DE ESE CHICO, SUS NOVELAS SON UN CAMINO DE ROSAS.

HE AVERIGUADO QUE SUS PADRES MURIERON EN UN INCENDIO CUANDO TENÍA DIEZ AÑOS.

ESA ES LA PARTE BUENA, QUERIDO.

LO QUE TE VOY A CONTAR LO DESCUBRIMOS DESPUÉS. ÉL NUNCA CONTÓ NADA, PERO LOS VECINOS LO SABÍAN. EL COLEGIO LO SOSPECHABA... TODO EL MUNDO PARECÍA ESTAR MÁS O MENOS AL CORRIENTE.
UN NIÑO FLACO COMO UN PALO. CON ENORMES PROBLEMAS DE DISCIPLINA. EXTREMADAMENTE VIOLENTO.
QUE SIEMPRE LLEVABA LA MISMA ROPA. QUE NO SE LAVABA PRÁCTICAMENTE NUNCA.
HOY EN DÍA, SE HUBIERA INTERVENIDO MUCHO ANTES.

SUS PADRES LO OBLIGABAN A DORMIR EN EL GRANERO, PATRIK. LO ALIMENTABAN CON SOBRAS. Y LE PEGABAN, POR SUPUESTO.
¿SABES EL FRÍO QUE HACE EN UN GRANERO EN INVIERNO?

AHORA ENTIENDO LA COMPARACIÓN CON DICKENS.

AÚN HAY MÁS.

SUS PADRES ERAN DROGADICTOS.
Y PARA PAGARSE LA DROGA, SE RUMOREABA QUE VENDÍAN EL CUERPO DE SU HIJO A HOMBRES EN BUSCA DE CARNE FRESCA.

DIOS MÍO...
NUNCA SE DEMOSTRÓ, SUPONGO...

NI SE INVESTIGÓ, CREO. SUS PADRES MURIERON, PERO EN EL COLEGIO ERA CONOCIDO POR SU COMPORTAMIENTO, DIGAMOS..., INAPROPIADO CON LAS CHICAS. TÍPICO DE LAS VÍCTIMAS DE ABUSOS.

¿Y CÓMO LE FUE?
OH, EN APARIENCIA, MARAVILLOSAMENTE. VOLVÍ A VERLO DOS O TRES VECES DESPUÉS DE LA ADOPCIÓN, PARA HACER EL SEGUIMIENTO. UN NIÑO MODÉLICO.
DEMASIADO MODÉLICO, EN MI OPINIÓN. ALGO INQUIETANTE. NADIE CAMBIA TAN RÁPIDO.

Y... ¿EL INCENDIO?
¿ME PREGUNTAS SI PUDO HABER SIDO ÉL QUIEN PRENDIÓ FUEGO A LA CASA DE SUS PADRES?

ESTOY SEGURA DE QUE SÍ.

YO ACOMPAÑÉ A LA POLICÍA. FUI YO QUIEN LO ENCONTRÓ.

ESTABA EN EL GRANERO. TENÍA QUEMADURAS EN LA CARA Y EL CUERPO. ¿Y SABES LO QUE HACÍA?

ESTABA SEPARANDO CERILLAS. LAS QUEMADAS A UN LADO, LAS NUEVAS AL OTRO.

NO OLVIDARÉ JAMÁS LO QUE ME PREGUNTÓ...
¿YA ESTÁN MUERTOS?
Y SE RIO, SE ECHÓ A REÍR.

AÚN HOY ME DA ESCALOFRÍOS.

LE QUITÉ LAS CERILLAS. NUNCA SE LO CONTÉ A NADIE.
YA HABÍA SUFRIDO BASTANTE.

¿ME EQUIVOQUÉ? ¿DEJÉ ESCAPAR A UN PSICÓPATA? ¿HA HECHO ALGO MALO, PATRIK?
ESO ES LO QUE INTENTO AVERIGUAR.

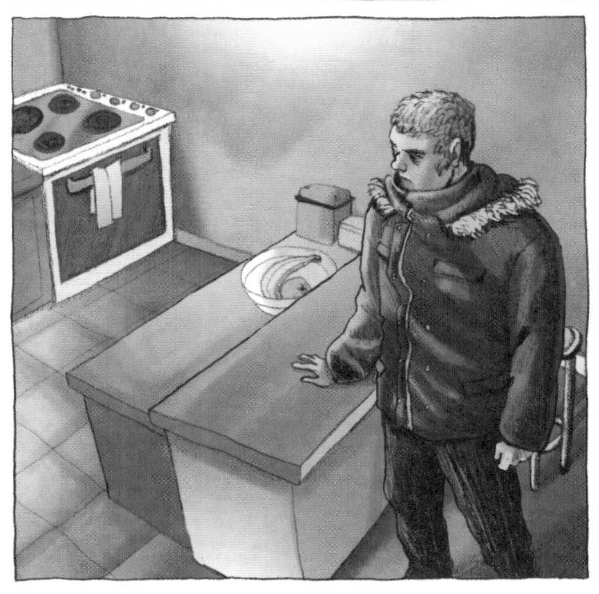

LTM 1976

LLAMA A LA POLICÍA CRIMINAL. QUE VENGAN A CASA DE ANDERS NILSSON. HA APARECIDO AHORCADO.
NO, ES UN ASESINATO. ÉL NO HABRÍA PODIDO COLGARSE TAN ARRIBA.

¿SEÑORA NILSSON?
¿VERA?
SOY EL COMISARIO HEDSTRÖM, DE LA COMISARÍA DE TANUMSHEDE. TENGO QUE HABLAR CON USTED.

SEÑORA NILSSON, SÉ QUE ESTÁ AHÍ.
ES MUY IMPORTANTE, SEÑORA, Y MUY GRAVE.
SE TRATA DE SU HIJO, ANDERS...

DÉJEME TRANQUILA. DÉJEME LLORAR EN PAZ A MI HIJO.

¿PARA QUÉ QUERÍA VERME, COMISARIO?
ESTOY INVESTIGANDO EL ASESINATO DE ALEXANDRA WIJKNER. ¿USTED LA CONOCÍA BIEN?
DE VISTA. NUNCA TUVIMOS MUCHA RELACIÓN.
SU MADRE FUE AL ENTIERRO.

PERO YO NO SOY MI MADRE, ¿NO ES ASÍ?

CIERTO...
Y A ANDERS NILSSON, ¿LO CONOCÍA?

EN CADA PUEBLO HAY UN TARADO. EL NUESTRO ES ANDERS NILSSON. ¿ES EL ASESINO?
¿QUÉ RELACIÓN TENÍA CON ÉL?
NINGUNA. USTED NO SE HABRÁ DADO CUENTA, PERO NO SOMOS DEL MISMO MUNDO QUE DIGAMOS.
ENTONCES ¿POR QUÉ LE LLAMÓ EN REPETIDAS OCASIONES DURANTE LOS ÚLTIMOS DÍAS?

¿A MÍ?

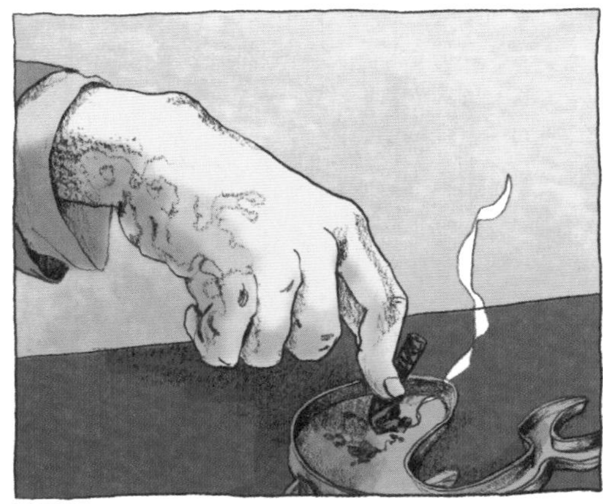

HE RECIBIDO LLAMADAS ANÓNIMAS. NO DICEN NADA, SOLO SE OYE UNA RESPIRACIÓN.
¿HA SIDO ÉL? ¿QUÉ QUIERE DE MÍ?

¿NO HABLÓ CON ÉL?

ME INSULTA, COMISARIO. ¿POR QUÉ NO SE LO PREGUNTA A ÉL?
ME GUSTARÍA, PERO LO HAN ASESINADO.

¿ASESINADO? ¿LA MISMA PERSONA QUE MATÓ A ALEX?
ES PRONTO PARA DECIRLO.

¿QUÉ RELACIÓN TENÍA CON SU HERMANO NILS?
PERDONE, PERO... ¿QUÉ TIENE ESO QUE VER?

ES PRONTO PARA DECIRLO.

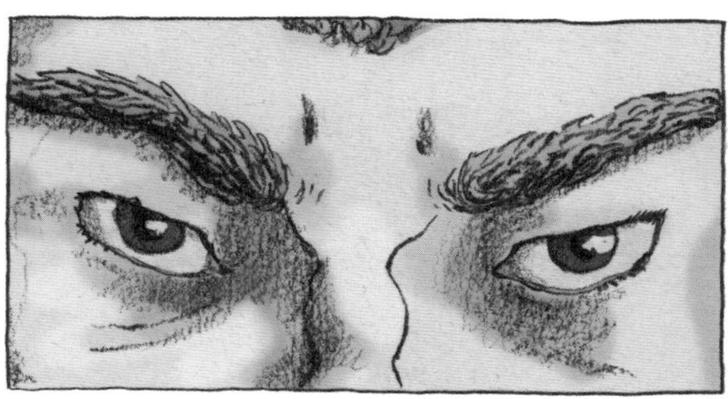

NUESTRA RELACIÓN ERA MÁS BIEN NEUTRA. ERA MUCHO MAYOR QUE YO.
Y NO OLVIDE QUE ÉL DESPARECIÓ A LOS POCOS MESES DE QUE ME ADOPTARAN.

Y AHORA ES USTED QUIEN DIRIGE EL IMPERIO.

BUENO, COMISARIO, ME HA ENCANTADO HABLAR CON USTED, PERO TENGO TRABAJO.

BUENO... TENEMOS DOS ASESINATOS. ¿QUÉ TIENEN EN COMÚN?
POCA COSA, EXCEPTO EL HECHO DE QUE LAS VÍCTIMAS FUERON AMANTES. ALEX Y ANDERS NO TENÍAN NADA QUE VER.

PERO AMBOS DEJARON UNA TIRA DE CUERO GRABADA CON «LTM 1976».

CON MANCHAS QUE PODRÍAN SER DE SANGRE. LAS HE MANDADO ANALIZAR.
¿LA FIRMA DEL ASESINO?

NO LO SÉ. EXCEPTO EN LAS NOVELAS, ESTAS COSAS NUNCA LLEVAN A NINGÚN SITIO.

EN TODO CASO, TODO APUNTA A 1976. ¿QUÉ OCURRIÓ ESE AÑO?

EN EL VERANO DE 1976, LOS LORENTZ ADOPTARON A JAN, UN MUCHACHO PERTURBADO QUE PUDO HABER QUEMADO VIVOS A SUS PADRES. HE HABLADO CON ÉL. ES DE HIELO.
SÍ, ES VERDAD. EN DICIEMBRE, NILS LORENTZ DESAPARECIÓ.
TRES MESES MÁS TARDE, ALEX SE MUDÓ CON SU FAMILIA. A PARTIR DE ENTONCES, IGNORAMOS QUÉ FUE LO QUE HIZO DURANTE UN AÑO.

¿Y SI ESTABA EMBARAZADA?
¿A LOS DOCE AÑOS?

PODRÍA SER. HABRÍAN QUERIDO ACALLAR EL ESCÁNDALO. TAL VEZ ABORTÓ CLANDESTINAMENTE.

PERO ¿POR QUÉ ESCONDERLA DURANTE UN AÑO DESPUÉS DE ABORTAR? ¿Y QUIÉN SERÍA EL PADRE?
¿ANDERS? TAL VEZ SE MUDARON PARA SEPARARLOS...

ESPERA...

EN ESTA FOTO, EL CHICO QUE TIENE AL LADO... ES ANDERS, ¿NO?

SÍ...

Y ESTE ES JAN LORENTZ.

Y MIRA... LOS TRES ESTÁN AGARRADOS DE LA MANO.
Y JAN ME DIJO CLARAMENTE QUE NO CONOCÍA NI A ALEX NI A ANDERS...

¡Y MIRA AL PROFESOR! ¡ES NILS LORENTZ!
¿ESTÁS SEGURA?

SEGURÍSIMA. ¡MIRA!
Y EL ARTÍCULO DICE QUE ERA PROFESOR SUPLENTE... ¿CÓMO SE ME HABRÁ PASADO POR ALTO?

EMPIEZAN A SER DEMASIADAS COINCIDENCIAS...

VALE, VALE... PENSEMOS.

DIGAMOS QUE ALEX SE QUEDA EMBARAZADA. ¿QUÉ PASA ENTONCES?

SE MARCHA.
Y SU PADRE, QUE HA TRABAJADO SIEMPRE EN LA FÁBRICA DE CONSERVAS, ENCUENTRA UN TRABAJO EN GOTEMBURGO COMO CAÍDO DEL CIELO. QUIZÁ MEJOR PAGADO, PERO TAMPOCO LE PERMITE HACER FORTUNA...
Y DE REPENTE LOS CARLGREN TIENEN EL DINERO PARA MANDAR A SU HIJA A SUIZA...
PERO ANTES DE ESO, SI ALEX NO ABORTÓ, ES QUE DIO A LUZ.

¿Y QUÉ PASÓ CON EL BEBÉ?
¿QUIÉN ES EL PADRE?

VEÁMOSLO DE OTRO MODO: ¿QUIÉN TIENE MEDIOS PARA COMPRAR EL SILENCIO DE UNA FAMILIA ENTERA, ENCONTRAR TRABAJO PARA KARL-ERIK Y PAGAR EL COLEGIO DE ALEX?
¿QUIÉN DECIDIÓ DEJAR TODA SU FORTUNA A JULIA CARLGREN A LA QUE APENAS CONOCÍA?
¿Y QUIÉN, ADEMÁS DE ALEX, DESAPARECIÓ DEL MAPA MISTERIOSAMENTE EN ESA ÉPOCA?

¿PIENSAS LO MISMO QUE YO?

CREO QUE VIOLARON A ALEXANDRA Y QUE SE QUEDÓ EMBARAZADA.
CREO QUE EL VIOLADOR FUE SU PROFESOR, NILS LORENTZ.

CREO QUE NELLY LORENTZ Y SU MARIDO QUISIERON ACALLAR EL ESCÁNDALO Y LES HICIERON UNA OFERTA QUE NO PUDIERON RECHAZAR.
UN TRASLADO A GOTEMBURGO, UN TRABAJO MEJOR Y UNO DE LOS MEJORES COLEGIOS PRIVADOS DEL MUNDO PARA SU HIJA.

NO DICE USTED MÁS QUE BOBADAS.

¡DÍSELO!

ALEX ESTÁ MUERTA... ¿DE QUÉ SERVIRÁ?

TIENE USTED RAZÓN. ESO ES LO QUE SUCEDIÓ.

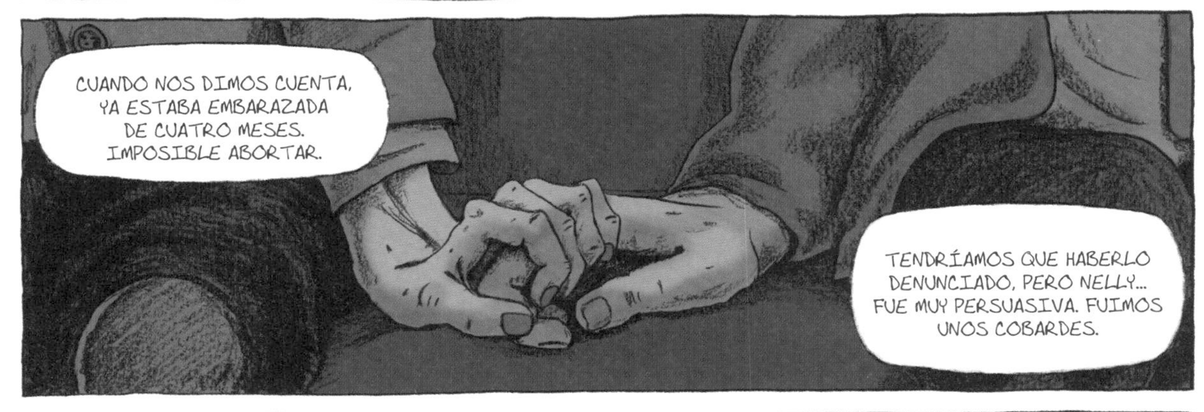
CUANDO NOS DIMOS CUENTA, YA ESTABA EMBARAZADA DE CUATRO MESES. IMPOSIBLE ABORTAR.
TENDRÍAMOS QUE HABERLO DENUNCIADO, PERO NELLY... FUE MUY PERSUASIVA. FUIMOS UNOS COBARDES.

¡HICIMOS LO MEJOR PARA ALEXANDRA! ¡LA PROTEGIMOS DE LA HUMILLACIÓN Y LA DESHONRA!
HICIMOS LO MEJOR PARA NOSOTROS, BIRGIT. PERO ¿PARA ALEXANDRA?

¿CÓMO PUDO OCULTARME ALGO ASÍ?

¿Y EL BEBÉ? ¿DÓNDE ESTÁ SU HIJO?

AQUÍ.

NELLY ME CONTÓ LA VERDAD EL VERANO PASADO.
ES UNA MUJER MUCHO MÁS GENEROSA DE LO QUE CREÉIS.
NO SABES LO QUE DICES.

SÉ QUE AL MENOS ELLA NO ME MINTIÓ DURANTE VEINTICUATRO AÑOS.

CUANDO OS DIJE QUE LO SABÍA, LO NEGASTEIS DURANTE DÍAS.

Y, QUE YO SEPA, NO FUE NELLY QUIEN TUVO LA IDEA DE HACERME PASAR POR LA HERMANA DE MI MADRE.
¿CÓMO PUDISTEIS HACERLE ESO A ALEX? ¿SOIS CAPACES DE IMAGINAR CÓMO SE SINTIÓ DURANTE TODOS ESTOS AÑOS?

¡NO SÉ DE QUÉ SIRVE ESE SERMÓN! ¡SE NOS TRATA COMO CULPABLES DE ALGO QUE OCURRIÓ HACE VEINTICINCO AÑOS, MIENTRAS EL ASESINO DE MI HIJA SIGUE CAMPANDO A SUS ANCHAS!
¡ESTÁ USTED INTENTANDO DESVIAR LA ATENCIÓN PARA QUE OLVIDEMOS SU INCOMPETENCIA! ¡LLEGÓ A CREER QUE ALEX SE HABÍA SUICIDADO! ¡PERO YO SIEMPRE HE SABIDO LA VERDAD!

SIEMPRE ES ÚTIL AIREAR EL PASADO. A VECES HAY QUE LLEGAR HASTA LO MÁS HONDO PARA ESCLARECER LA VERDAD.

VENGA, AHÓRRENOS SUS AFORISMOS DE MONJE BUDISTA...

¿CONOCEN A ANDERS NILSSON?

POR SUPUESTO.
FUE LA OTRA VÍCTIMA DE NILS LORENTZ.

¿A ÉL TAMBIÉN LO VIOLÓ?

¿NO LO SABÍA? ABUSÓ DE ELLOS DURANTE MESES...

DIOS MÍO... ALEX...

SE LO REPITO: ¿QUÉ RELACIÓN TIENE ESO CON EL ASESINATO DE MI HIJA?

NILSSON TAMBIÉN HA SIDO ASESINADO.

OH, MARAVILLOSO...
OTRO SUICIDIO, SUPONGO...

MAM

MAMÁ TE QUIERO
PERO NO TE PUEDO
PERDONAR LO
QUE HAS HECHO
Anders

Alexandra
Wijkner
1964-2001

AHORA ESTÁN JUNTOS PARA SIEMPRE.

PERDONE, ¿CÓMO DICE?
USTED SABÍA QUE ERAN AMANTES, ¿VERDAD?

DISCULPE, ¿QUIÉN ES USTED?

PATRIK HEDSTRÖM, DE LA COMISARÍA DE TANUMSHEDE. LA ACOMPAÑO EN EL SENTIMIENTO.

FUE USTED QUIEN ENCONTRÓ A ANDERS.

CREO QUE USTED LO ENCONTRÓ PRIMERO.

¿QUÉ QUIERE DECIR CON ESO?

MAMÁ TE QUIERO
PERO NO TE PUEDO
PERDONAR LO
QUE HAS HECHO

¿DÓNDE LO HA ENCONTRADO?

LA HOJA DE DEBAJO.

CUANDO VINE A COMUNICARLE LA MUERTE DE ANDERS, USTED YA ESTABA AL CORRIENTE. SUPUSE QUE SE LO HABRÍA CONTADO OTRA PERSONA, PERO DEBERÍA HABERLO VERIFICADO.

¿POR QUÉ DISFRAZAR SU SUICIDIO DE ASESINATO?

ENTRE.

MIRE, MIRE QUÉ GUAPO ERA.
QUÉ FELIZ.

ERA TAN DULCE..., CON TANTA IMAGINACIÓN... DEBERÍA HABER TENIDO UNA VIDA MAGNÍFICA.
PERO FUE UN DESASTRE. TODO EL MUNDO LO VEÍA COMO UN FRACASADO. COMO SI FUERA CULPA SUYA. NADIE VEÍA CÓMO ERA EN REALIDAD.
Y SU SUICIDIO, ERA COMO... COMO DAR LA RAZÓN A TODO EL MUNDO. NO QUERÍA ESO PARA ÉL.
SI LA GENTE CREÍA QUE ALGUIEN SE HABÍA MOLESTADO EN ASESINARLO, TENDRÍAN QUE ADMITIR QUE SU VIDA CONTABA PARA ALGO. NO SE MATA A ALGUIEN INSIGNIFICANTE.
ES UNA LOCURA, AHORA LO SÉ.

SEGURAMENTE NUNCA SE SOBREPUSO A LO QUE SUFRIÓ POR CULPA DE NILS LORENTZ.

OH... TAMBIÉN ESTÁ USTED AL CORRIENTE DE ESO.

LA NOTA QUE DEJÓ PARA USTED... ¿QUÉ ES LO QUE NUNCA LE PERDONARÁ?

ERA TAN GUAPO...

SÍ, ES UNA LÁSTIMA. COMO SABER QUE EL BEBÉ DE ALEXANDRA WIJKNER NO NACERÁ JAMÁS.

¿ESTABA EMBARAZADA?

UN NIÑO.
¿SABE QUIÉN ERA EL PADRE?
SU MARIDO NO.

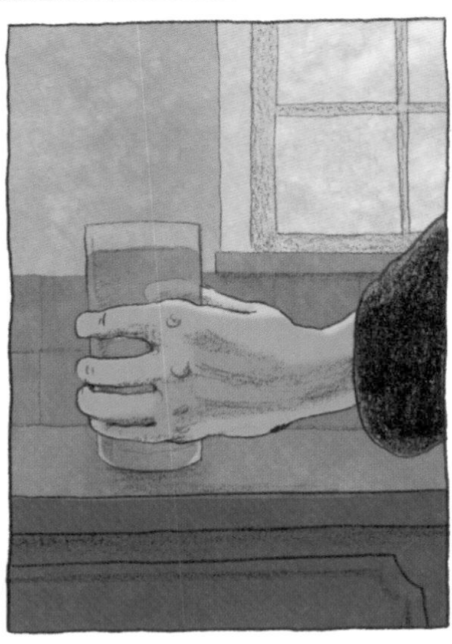

¿MATÉ
A MI NIETO?

NO LO SÉ.
¿QUÉ ES LO
QUE HIZO?

ANDERS
ME DIJO QUE
ALEXANDRA
QUERÍA
CONTARLO
TODO.

Y USTED FUE A
VERLA.
SÍ. Y HABLAMOS.
ELLA QUERÍA «HACER
LAS PACES CON EL PASADO».
«DESENTERRAR LAS VIEJAS
HISTORIAS.» ESAS COSAS
QUE ESTÁN TAN DE MODA
HOY EN DÍA.

SIEMPRE APOYÉ A ANDERS, Y ÉL A MÍ.
SIEMPRE ESTUVIMOS JUNTOS.

Y DESPUÉS DE TANTOS AÑOS PARA CONSTRUIR NUESTRO EQUILIBRIO TAN FRÁGIL, A ESA CHICA SE LE METIÓ EN LA CABEZA DESTROZARLO TODO.
PORQUE SÍ. COMO UN CAPRICHO. PARA QUEDARSE A GUSTO, O VAYA USTED A SABER...

HICE TODO LO POSIBLE POR DISUADIRLA. ELLA NO ATENDÍA A RAZONES. LE EXPLIQUÉ QUE ANDERS NO SE REPONDRÍA. ESTABAN ENAMORADOS, ¡ELLA DEBÍA PREOCUPARSE POR SU FELICIDAD!
PERO ¿SABE LO QUE ME CONTESTÓ?
QUE ERA YO QUIEN TEMÍA EL ESCÁNDALO. YO, SUS PADRES, NELLY LORENTZ... TODOS EN UN MISMO SACO. QUE NO PENSÁBAMOS MÁS QUE EN NUESTROS INTERESES Y NUESTRA REPUTACIÓN.

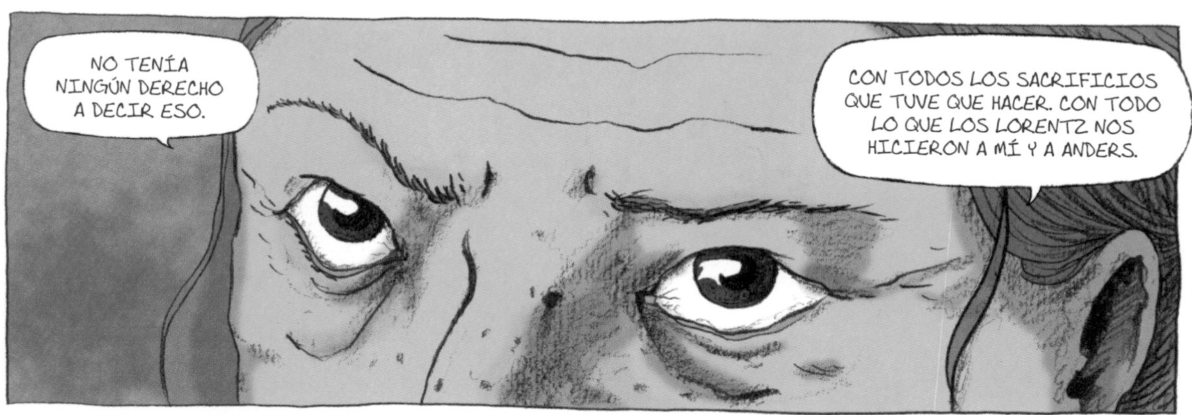
NO TENÍA NINGÚN DERECHO A DECIR ESO.
CON TODOS LOS SACRIFICIOS QUE TUVE QUE HACER. CON TODO LO QUE LOS LORENTZ NOS HICIERON A MÍ Y A ANDERS.

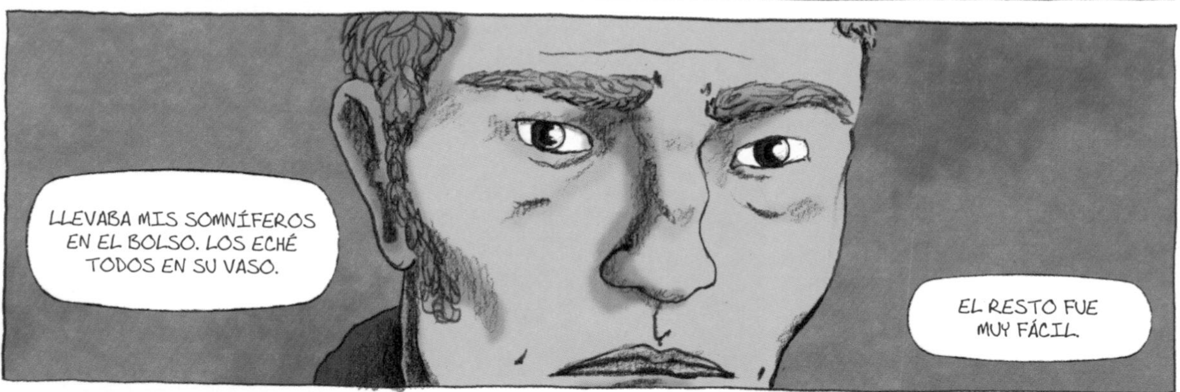
LLEVABA MIS SOMNÍFEROS EN EL BOLSO. LOS ECHÉ TODOS EN SU VASO.
EL RESTO FUE MUY FÁCIL.

PERO AHORA SOY CONSCIENTE DE QUE MATÉ A UNA PERSONA. TAMBIÉN SÉ QUE MATÉ A MI NIETO.

TIENE QUE VENIR CONMIGO A COMISARÍA, VERA.

LO SÉ.

LORENTZ
KONSERV

NO LE DIJE NINGUNA MENTIRA, PERO ME ARREPIENTO DE HABER DEJADO QUE CREYERA QUE ANDERS ERA EL PADRE.
VERA QUERÍA HABLAR, PATRIK. TU SOLO LE DISTE UN PRETEXTO. SUS SECRETOS LE PESABAN DEMASIADO.
ES POSIBLE. DESPUÉS DE SU CONFESIÓN, PARECÍA ALIVIADA. ES ALGO HABITUAL. LLEGA UN MOMENTO EN QUE LA GENTE NECESITA CONFESARSE.
ENTONCES, NO HAS IDO A HABLAR CON DAN...
AHORA NO SERVIRÍA DE NADA. Y CREO QUE YA TIENE BASTANTE QUE ARREGLAR CON SU PAREJA.
¿Y MELLBERG? ¿ESTÁ SATISFECHO?

MÁS FRUSTRADO QUE NUNCA. ESPERABA ATRAPAR AL APUESTO CULPABLE DE UN DOBLE ASESINATO, Y SE ENCUENTRA CON UNA VIEJA DESESPERADA QUE SE SUICIDA...
POR NO HABLAR DE UN ESCÁNDALO QUE PRESCRIBIÓ HACE TIEMPO.
¿Y TÚ NO ESTÁS FRUSTRADO? HAY MUCHAS PREGUNTAS SIN RESPUESTA. SOBRE NILS LORENTZ. SOBRE JAN.

EN LO QUE RESPECTA A JAN, LO MÁS PROBABLE ES QUE ABUSARAN DE ÉL, COMO LES PASÓ A ALEX Y A ANDERS.
ES PROBABLE. ERA SU VÍNCULO. POR ESO SE DABAN LA MANO EN LA FOTO.
PERO HACERLE HABLAR SERÍA MUY DIFÍCIL...

Y NILS... TENÍA MUCHOS MOTIVOS PARA DESAPARECER.
O PARA QUE LO HICIERAN DESAPARECER... CREO QUE, DE UN MODO U OTRO, PAGÓ POR LO QUE HIZO.
SÍ. DE UN MODO U OTRO.

¿QUÉ VAS A HACER AHORA?
VOLVER A LA RUTINA DE COMISARÍA HASTA EL PRÓXIMO CASO...

¿Y TÚ? ¿VAS A VENDER LA CASA? ¿VUELVES A ESTOCOLMO?

DE MOMENTO, NO. ME QUEDARÉ UN TIEMPO MÁS. DESPUÉS DE TODO, AÚN TENGO QUE ESCRIBIR EL TEXTO SOBRE ALEX.
SERÁ ALGO MÁS LARGO DE LO PREVISTO. EN REALIDAD, ME GUSTARÍA ESCRIBIR UN LIBRO.

POR ESO TE QUEDAS. NADA QUE VER CON CIERTO POLI IRRESISTIBLE QUE HAS ENCONTRADO.

NADA.

LTM 1976
LTM 1976

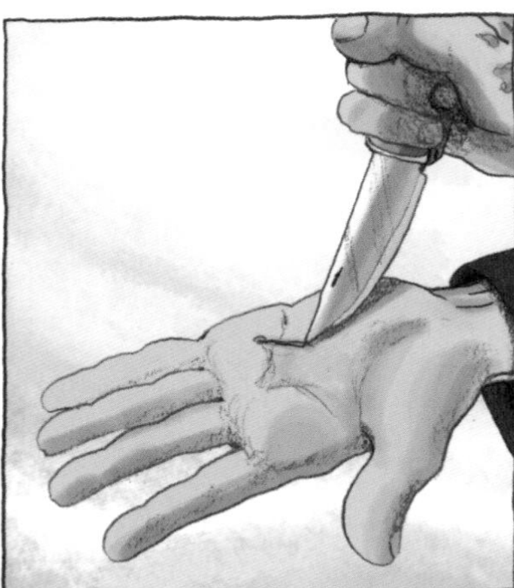

A PARTIR DE AHORA, SEREMOS LOS TRES MOSQUETEROS. UNIDOS DE POR VIDA.
¡UNO PARA TODOS, TODOS PARA UNO!

A VER, BANDA DE
CONSPIRADORES...
¿QUÉ ES ESA SORPRESA
QUE GUARDÁIS?

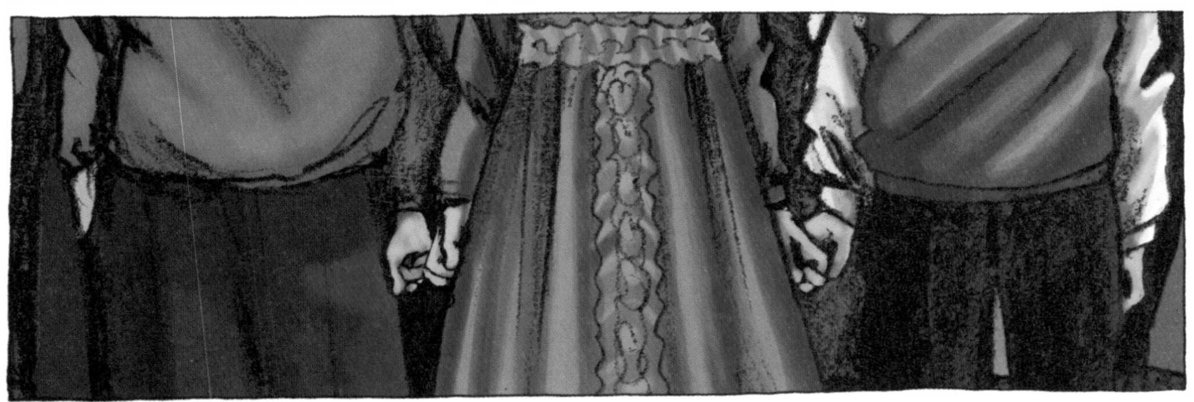

¿Has leído el libro que ha inspirado esta novela gráfica? Conoce la serie Los crímenes de Fjällbacka

La princesa de hielo
Misterios y secretos familiares en una emocionante novela de suspense.

Los gritos del pasado
Fanatismo religioso y complejas relaciones humanas en una escalofriante novela.

Las hijas del frío
Venganzas que resurgen del pasado en un terrible suceso que siembra el pánico en Fjällbacka.

Crimen en directo
Conseguir audiencia a cualquier precio se puede convertir en una trágica pesadilla.

Las huellas imborrables
Un nuevo caso trepidante de Erica Falck y Patrik Hedström sobre el peso de la culpa y los errores cometidos.

La sombra de la sirena
Un ramo de lirios blancos, unas cartas amenazadoras, un siniestro mensaje de color rojo sangre.

Los vigilantes del faro
Un misterio sin resolver ronda la isla de Gråskär desde hace generaciones, y el viejo faro oculta la clave.

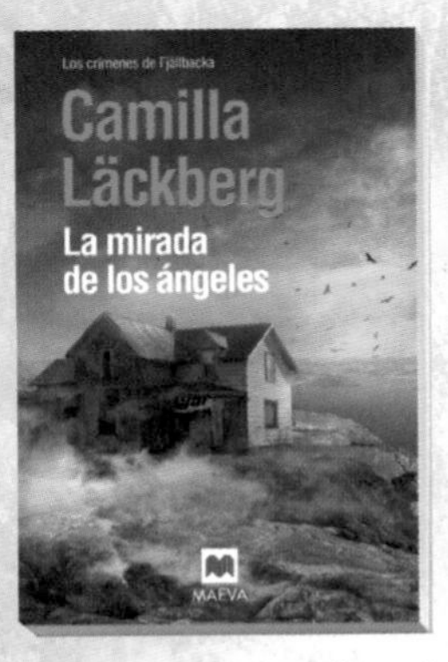

La mirada de los ángeles
Cuando ya lo has perdido todo, puede que alguien quiera destruirte también a ti.